D1247605

Mes carnets aux questions

La Lune

par professeur Génius

QUÉBEC AMÉRIQUE jeunesse

Catalogage avant publication de Bibliothèque et Archives Canada

Professeur Génius

La Lune

(Mes carnets aux questions)

Comprend un index

Pour les jeunes de 7 ans et plus

ISBN 2-7644-0834-X

1. Lune - Ouvrages pour la jeunesse. 2. Lune - Ouvrages illustrés - Ouvrages pour la jeunesse. I. Titre. II. Collection.

QB582.P76 2005   j523.3   C2005-940641-0

La Lune, Mes carnets aux questions, a été conçu et créé par :

QUÉBEC AMÉRIQUE

Québec Amérique Jeunesse
une division des
Éditions Québec Amérique inc.
3e étage
329, rue de la Commune Ouest
Montréal (Québec)
H2Y 2E1 Canada

T 514.499.3000   **F** 514.499.3010
www.quebec-amerique.com

Il est interdit de reproduire ou d'utiliser le contenu de cet ouvrage, sous quelque forme et par quelque moyen que ce soit — reproduction électronique ou mécanique, y compris la photocopie et l'enregistrement — sans la permission écrite de l'éditeur.

© 2005 Éditions Québec Amérique inc., tous droits réservés.

Imprimé et relié à Singapour.
10 9 8 7 6 5 4 3 2 1   12 11 10 09 08 07 06

Nous reconnaissons l'aide financière du gouvernement du Canada par l'entremise du Programme d'aide au développement de l'industrie de l'édition (PADIÉ) pour nos activités d'édition.

 Conseil des Arts du Canada   Canada Council for the Arts   SODEC Québec

Gouvernement du Québec – Programme de crédit d'impôt pour l'édition de livres – Gestion SODEC.

Les Éditions Québec Amérique bénéficient du Programme de subvention globale du Conseil des Arts du Canada. Elles tiennent également à remercier la SODEC pour son appui financier.

Les personnages qui peuplent l'univers du professeur Génius sont pure fantaisie. Toute ressemblance avec des personnes vivantes serait fortuite. Bien que les faits qu'ils contiennent soient justes, les articles de journaux, lettres d'époque, livres et revues tirés de la collection personnelle du professeur sont également issus de l'imaginaire des créateurs de cet album.

Table des matières

Est-ce que la Lune est une sorte d'étoile? 5

Combien de temps faudrait-il pour se rendre sur la Lune à vélo? 8

Pourquoi la Lune s'appelle-t-elle « Lune »? 11

Que racontent les roches lunaires? 14

Qu'est-ce qui se passe pendant une éclipse de Lune? 18

Pourquoi la Lune semble-t-elle nous suivre lorsqu'on roule en voiture? 21

Est-ce que toutes les planètes ont une « lune »? 24

À quoi ça ressemble sur la Lune? 26

Que sont les taches foncées qu'on voit sur la Lune? 29

Qu'est-ce qui retient la Lune près de la Terre? 33

Qui est allé sur la Lune? 37

Est-ce qu'on pourra un jour voir l'autre côté de la Lune? . . 40

Comment la Lune fait-elle les marées? 44

Où va la Lune pendant le jour? 47

Pourquoi les astronautes bondissaient-ils en marchant sur la Lune? 49

À quoi ressemble la face cachée de la Lune? 52

Comment la Lune fait-elle pour changer de forme? 56

Est-ce vrai qu'il se passe des choses étranges à la pleine Lune? . 62

Y a-t-il de l'eau sur la Lune? 64

C'est quoi ces dessins qu'on aperçoit sur la Lune? 67

Est-ce que les roches lunaires ressemblent à nos roches? . . 70

Qu'est-ce qu'il y a à l'intérieur de la Lune? 72

Pourquoi la Lune est-elle pleine de trous? 75

Est-ce qu'on pourrait vivre sur la Lune? 77

Qu'est-ce qui se passerait s'il n'y avait plus de Lune? . . . 80

Ça veut dire quoi, « être dans la Lune »? 82

Il fait chaud ou froid sur la Lune? 84

Est-ce qu'on pourra un jour boire de l'« eau de Lune »? . . 88

Qu'ont fait les astronautes quand ils sont allés sur la Lune? 91

À toi qui ouvres ce carnet,

Est-ce que tu as déjà été fasciné par la pleine Lune, si ronde, claire et brillante dans le ciel étoilé ? Cette compagne de nos nuits soulève bien des questions chez les petits curieux comme toi ! Est-ce que la Lune est une sorte d'étoile ? À quoi ça ressemble sur la Lune ? Où va la Lune pendant le jour ? Ça veut dire quoi, « être dans la Lune » ? Voici quelques-unes des questions que des enfants m'ont envoyées. J'ai recueilli ces questions au fil des années et j'y réponds dans ce carnet. Pour t'aider à bien comprendre mes explications, j'ai collé des photographies, des dessins, et j'ai réalisé des schémas très simples. J'espère que tu trouveras ici les réponses à tes propres questions. Surtout n'oublie pas que les scientifiques se posent chaque jour de nouvelles questions : c'est ce qui fait avancer la recherche et les découvertes. Comme eux, continue toujours de te questionner et de t'émerveiller à la vue du monde qui t'entoure !

Bonne lecture,

professeur Génius

Monsieur le professeur,

Est-ce que la Lune est une sorte d'étoile ?

Max, 7 ans

Amérique du Sud

Désert de l'Atacama

Bonjour mon cher Max,

Il y a quelques mois, mon ami le docteur Izin Spaice et moi avons décidé de faire une longue randonnée à bicyclette dans le désert de l'Atacama, en Amérique du Sud. Nous étions tous les deux très excités à l'idée d'aller visiter un des télescopes les plus puissants du monde, le VLT (Very Large Telescope). Nous roulions parfois la nuit pour nous rendre plus rapidement à destination...

5

Le VLT (Very Large Telescope).

Je te rassure tout de suite, Max : nos promenades nocturnes n'étaient absolument pas dangereuses car nos casques, nos vêtements et nos vélos étaient équipés de réflecteurs. Grâce à ces petits miroirs qui réfléchissent la lumière des phares des automobiles, nous étions parfaitement visibles et en sécurité.

Tu te demandes quel lien il peut y avoir entre mon aventure à bicyclette et ta question, n'est-ce pas ? J'y arrive...

Même si elle est l'objet le plus gros en apparence de notre ciel nocturne, la Lune n'est pas une étoile. Une étoile est un astre qui produit sa propre lumière et sa propre chaleur, comme le Soleil. Notre fidèle compagne, la Lune, ne produit ni lumière ni chaleur. Elle ne fait que réfléchir la lumière du Soleil, un peu comme un immense réflecteur de vélo qui flotterait dans le ciel.

À bientôt,

Génius

7

Combien de temps devrais-je
prévoir pour me rendre sur la
Lune à vélo?

Merci prof!
Daphnée, 9 ans

Chère Daphnée,

La Lune est parfois si grosse et si brillante
dans le ciel que certains soirs, je me
surprends, moi aussi, à croire que je pourrais
m'y rendre avant le lever du jour... Dans une
œuvre écrite par Cyrano de Bergerac il y a
plus de 300 ans, le héros rêve de faire ce
grand voyage en attachant des petites

bouteilles de rosée à sa ceinture !

Il espère ainsi qu'en s'évaporant à la lumière de l'aube, les gouttes de rosée le transporteront jusqu'à la Lune... Voilà une idée bien poétique et tout aussi originale que la tienne. Mais revenons justement à ta question, mademoiselle la rêveuse, et faisons un peu de gymnastique mathématique :

- La Lune se trouve à environ 385 000 kilomètres de la Terre.

- Normalement, nous pouvons espérer parcourir au moins 10 kilomètres en une heure de vélo.

Or, selon mes calculs, il nous faudrait près de quatre ans et demi pour arriver à la Lune, et ce, à condition de pédaler sans relâche ! Ouf... Pas étonnant qu'on ait inventé les fusées !

Savais-tu qu'Apollo 11, la première mission à se rendre sur la Lune avec des astronautes à son bord, a mis 102 heures et 45 minutes pour y arriver, soit environ 4 jours et demi ? Voilà qui est beaucoup plus rapide que la bicyclette... et les gouttes de rosée !

Amicalement,

Génius

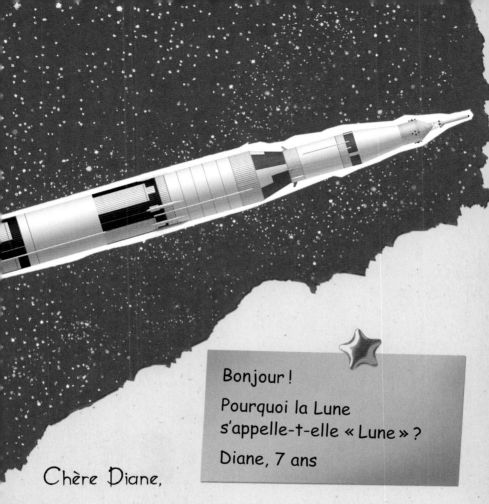

Bonjour !

Pourquoi la Lune
s'appelle-t-elle « Lune » ?
Diane, 7 ans

Chère Diane,

Le nom « Lune » vient du mot latin *luna*
qui signifie lumineuse (le latin est une langue très
ancienne qui a donné naissance à plusieurs
langues parlées aujourd'hui, comme le français,
l'italien et l'espagnol). Puisque la Lune est

l'objet le plus lumineux du ciel nocturne, il n'est pas étonnant que nos ancêtres l'aient nommée ainsi !

Plusieurs langues utilisent, elles aussi, un mot dérivé du latin *luna* pour nommer la Lune. Je t'ai justement préparé un petit lexique des noms donnés à la Lune, dans différentes langues :

Italien : Luna	Danois : Mane
Espagnol : Luna	Russe : Luna
Portugais : Lua	Néerlandais : Maan
Grec : Selini	Japonais : Getsu
Anglais : Moon	Turc : Ay
Polonais : Ksiezyc	Catalan : Lluna
Allemand : Mond	Finlandais : Kuu
Arabe : Qamar	Hongrois : Hold

Savais-tu, chère Diane, que la Lune a suggéré les noms de plusieurs choses de la nature ? Je pense, entre autres, aux poissons-lunes, ces gros poissons ronds et argentés, et aux lunaires, ces plantes dont les fruits ronds et desséchés en forme de petits disques à l'automne, reflètent la lumière de la Lune.

Ce n'est pas tout ! Regarde tes mains attentivement... Vois-tu ces petits demi-cercles blanchâtres qui se trouvent à la base de tes ongles ? Ces taches se nomment des « lunules » car elles ressemblent à de petits croissants de Lune.

Ton ami, Génius

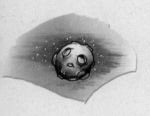

Bonjour professeur Génius,

Je suis en vacances au Japon avec mes parents.
Hier nous avons visité le centre « Space World »
à Kita-Kyûshû. J'y ai vu des échantillons de roches
lunaires. Mon père m'a dit que grâce à ces roches,
les astronomes et les géologues arrivent à savoir quand
et comment la Lune a été formée. Comment peut-on
voir tout ça dans un simple caillou ?

Domo arigato
(cela veut dire merci beaucoup en japonais),

Louis-Philippe, 11 ans

Drapeau du Japon.

Kon nee chee wa (bonjour) Louis-Philippe!

Comme tu as de la chance!

Le Japon est un pays merveilleux. As-tu eu l'occasion de goûter à un *odango*?

C'est un petit pain sucré très populaire au Japon.

Oy shee, oy shee (délicieux)!

Mais revenons à ta question...

Les astronautes ont rapporté près de 400 kilogrammes de roches, de sable et de poussière provenant du sol et de la croûte lunaire. Les astronomes et les géologues ont méticuleusement examiné ces roches et étudié leur composition. Et tu sais quoi? Ils ont découvert que les roches de la Lune ressemblaient beaucoup à nos bonnes vieilles roches terrestres! Figure-toi que leurs découvertes montrent aussi que la Terre et la Lune ont le même âge (soit environ 4,5 milliards d'années) et qu'elles auraient peut-être même déjà formé une seule et même planète... Je t'explique.

Selon la théorie la plus populaire, un astre de la grosseur de la planète Mars aurait heurté la Terre alors qu'elle était encore une très jeune planète. Cette collision aurait arraché un gros morceau de sa surface. Les débris de cet accident cosmique se seraient alors échappés dans l'espace, puis, avec le temps, se seraient « recollés » pour former la Lune. Voici une image qui illustre cette théorie.

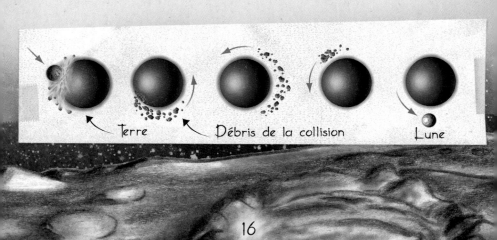

Terre   Débris de la collision   Lune

Roche lunaire

Tu sais, plusieurs
musées possèdent
des roches lunaires.
Au Canada, tu peux te rendre au Centre
des sciences de l'espace du Cosmodôme de
Laval, au Centre des sciences de l'Ontario,
à Toronto, ainsi qu'au Centre spatial
H.R. McMillan à Vancouver. D'autres musées
d'Europe et des États-Unis possèdent
eux aussi leurs précieux « cailloux ».

Professeur,

J'ai trouvé cette photo dans une revue de sciences. C'est une éclipse de la Lune. Je trouve ça très beau ! Est-ce que vous pourriez m'expliquer ce qui se passe pendant une éclipse de Lune et me dire quand je pourrai en voir une de mes propres yeux ?

Merci,
Joël, 9 ans

Cher ami,

Voici la réponse à ta brillante question. Une éclipse lunaire se produit lorsque la Terre passe entre la Lune et le Soleil. À ce moment, la Terre reçoit les rayons du Soleil mais empêche ces derniers de parvenir jusqu'à la Lune. Notre satellite est alors complètement caché dans l'ombre de la Terre. Je t'ai collé ci-dessous un schéma très simple qui t'aidera à comprendre le phénomène.

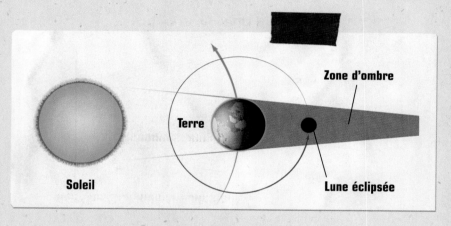

Les éclipses lunaires sont rares et peuvent être prédites avec précision, grâce à des calculs compliqués. Contrairement aux éclipses du Soleil qui sont très dangereuses pour les yeux, les éclipses de Lune peuvent être regardées à l'œil nu ou avec des jumelles. Puisque la Lune ne fait que réfléchir les rayons du Soleil, la lumière des éclipses lunaires n'est pas assez forte pour endommager tes yeux. Prends ces quelques dates en note et ne manque surtout pas d'observer un spectacle aussi grandiose.

Calendrier des éclipses lunaires totales visibles en Amérique du Nord :

- 3 mars 2007
- 28 août 2007
- 20 février 2008
- 21 décembre 2010
- 15 avril 2015

Amicalement,

Génius

Professeur,
On dirait que la Lune nous suit
lorsqu'on roule en voiture.
Est-ce vrai?

Vicky, 6 ans

L'été dernier, j'ai eu le bonheur de monter à bord d'un train qui traversait le Canada, de l'océan Atlantique jusqu'au Pacifique. Près de 5 000 kilomètres de pur plaisir... Par la fenêtre, je voyais la Lune, nuit après nuit, qui semblait s'amuser à m'accompagner jusqu'à ma destination. Cela te semblera peut-être un peu étrange, mais je trouvais cette présence rassurante... Tu sais, on ne se sent jamais seul lorsqu'on a la Lune comme compagne de voyage!

En réalité, la Lune paraît immobile dans le ciel parce qu'elle est très éloignée de la Terre et qu'elle avance très lentement dans l'espace.

Observe attentivement le paysage lors d'un prochain voyage en voiture. Tu remarqueras que les maisons, les arbres et les montagnes qui se trouvent très près de la voiture semblent filer à toute vitesse! Au contraire, les mêmes objets, s'ils sont situés très loin de la route, restent visibles plus longtemps... et semblent nous accompagner un certain temps. Comme la Lune se trouve à 385 000 kilomètres de la Terre environ, il n'est pas surprenant qu'elle soit la grande championne accompagnatrice.

Bon voyage,

Génius

23

Bonjour Laurent,

À ta question simple, voici une réponse simple : non. Les planètes n'ont pas toutes

Cher professeur Génius,
Est-ce que toutes les planètes ont une « lune » ?

Laurent, 8 ans

UNE « lune », c'est-à-dire un satellite naturel, mon cher ami. Certaines n'en ont pas du tout ; d'autres en possèdent plusieurs. Faisons rapidement le tour de notre Système solaire... Mercure et Vénus n'ont pas de lune. En revanche, Mars en compte 2, Jupiter 63, Saturne 49, Neptune 13 et Uranus 27. Finalement, la Terre, tout comme la petite Pluton, n'en a qu'une. Mais attention ! Au moment même où tu lis ces lignes, ces nombres peuvent avoir changé. Nos télescopes de plus en plus sophistiqués permettent en effet de découvrir de nouvelles lunes presque tous les mois. Pour tes recherches d'école, je te suggère donc de consulter les plus récents ouvrages d'astronomie.

Savais-tu que les lunes de notre Système solaire sont souvent bien différentes de la nôtre? Io, une des lunes de Jupiter, possède des volcans qui « crachent » du soufre sur des centaines de kilomètres de hauteur... Callisto, une autre lune de Jupiter, est faite de roche et de glace et cache peut-être une couche d'eau glacée sous sa surface... Titan, une des lunes de Saturne, possède une épaisse atmosphère semblable à celle qui entourait la Terre quand elle était une jeune planète.

Io

Callisto

Titan

Tu sais, même si elles sont très différentes, les lunes ont toutes, au moins, deux choses en commun : 1- elles tournent autour d'une planète et 2- elles ne font que réfléchir la lumière provenant du Soleil !

Amicalement, Génius

Bonjour professeur,

À quoi ça ressemble sur la Lune ?

Steven, 10 ans

Cher Steven,

Laisse aller ton imagination et accompagne-moi dans l'espace noir qui sépare notre planète de la Lune... Prêt ? 3, 2, 1... Décollage !

Quatre jours et quatre nuits ont passé. Nous arrivons bientôt.

Jette un coup d'œil par le hublot. La Lune est là, majestueuse. Observe sa surface. Elle est marquée de trous plus ou moins profonds : ce sont les cratères. Ces derniers sont les

traces de météorites
qui ont percuté la
surface de la Lune
quelque temps après
sa naissance.
Regarde là-bas :
des chaînes
de montagnes,
des crevasses
et des rainures
sinueuses décorent
la surface de
notre satellite.

Le vaisseau s'immobilise enfin. Descendons.

À première vue, la Lune n'offre rien
d'autre qu'un paysage de roche et de
poussière. Oublie les collines verdoyantes,
le bourdonnement incessant des insectes
et le bleu du ciel terrestre.

27

Ici, AUCUNE TRACE DE VIE.

Tout est tristement gris. Déçu?

Contrairement à la Terre, la Lune ne possède pas d'atmosphère, ce mélange de gaz précieux qui enveloppe notre planète et qui lui donne sa belle couleur bleue. C'est pourquoi le ciel y est toujours noir, le jour comme la nuit.

Une dernière chose: sur la Lune il n'y a pas d'air, pas de vent et pas de son. Comme tu peux voir, la Lune c'est bien pour une petite visite, mais ce n'est pas l'endroit idéal pour de longues vacances...

On retourne chez nous?

J'ai lu dans un livre que les taches foncées qu'on voit
sur la Lune sont des mers.
Est-ce vrai, professeur ?

Cynthia, 9 ans

Chère Cynthia,

Lorsque j'étais gamin, mon grand-père et moi
avons fait un voyage merveilleux en Israël.
Nous en avons profité
pour nous rendre aux
abords de la mer
Morte, une étendue
d'eau très spéciale.
L'eau de la mer
Morte est en effet si
salée qu'aucun poisson
ne peut y vivre,
mais certaines

La mer Morte.

bactéries y arrivent! Lors de notre voyage en Israël, mon grand-père et moi avons appris que la mer Morte est en réalité... un lac! Cette fausse mer a été tout simplement mal nommée par ses découvreurs. Il y a plusieurs exemples de choses et d'endroits qui ont été mal nommés : le rhinocéros blanc (qui n'est pas blanc), l'océan Pacifique (qui n'est pas du tout tranquille), le chien de prairie (qui n'est pas un chien), le mal de cœur (qui n'a aucun rapport avec le cœur mais concerne plutôt l'estomac) et... les « mers » de la Lune.

Tu vois, Cynthia, les premiers astronomes croyaient que les taches foncées de la Lune qu'ils observaient depuis la Terre ne devaient être autre chose que des mers, ou des lacs, semblables à ceux de la Terre. Plusieurs de ces taches ont été nommées (fort joliment, d'ailleurs) : mer de la Tranquillité, océan des Tempêtes, mer des Pluies, lac des Songes, mer du Froid...

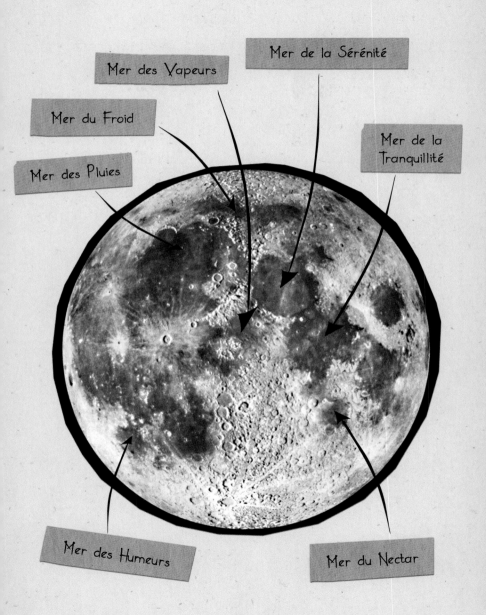

Mer de la Sérénité

Mer des Vapeurs

Mer du Froid

Mer de la Tranquillité

Mer des Pluies

Mer des Humeurs

Mer du Nectar

Même si nous savons aujourd'hui qu'il n'y a pas d'eau sur la Lune, nous continuons d'utiliser ces noms pour des raisons pratiques.

Tu veux savoir ce que sont ces taches sombres, Cynthia? Les mers de la Lune sont en fait des cratères formés à la suite de l'impact de comètes et de météorites. Les cratères ont été remplis de lave provenant de fissures dans l'écorce lunaire, peu après leur formation. Ce sont les éléments chimiques contenus dans la lave qui donnent aux « mers » lunaires leur teinte sombre.

Voilà qui répondra sans doute à ta question, petite curieuse!

Amicalement,
Génius

Cher monsieur Génius,

En regardant la Lune hier soir, je me suis posé une drôle de question: « Pourquoi la Lune ne s'enfuit-elle pas dans l'espace? » Je veux dire, qu'est-ce qui la retient près de la Terre ?

Mégane, 8 ans

Il y a plus de 300 ans, un savant anglais s'est posé la même question que toi. Son nom? Sir Isaac Newton. La légende raconte qu'il aurait trouvé la réponse à sa question... en observant une pomme tombant d'un pommier ! Selon Newton, il existe une force invisible qui attire tous les objets (la pomme, par exemple) vers le sol et il se pourrait bien que

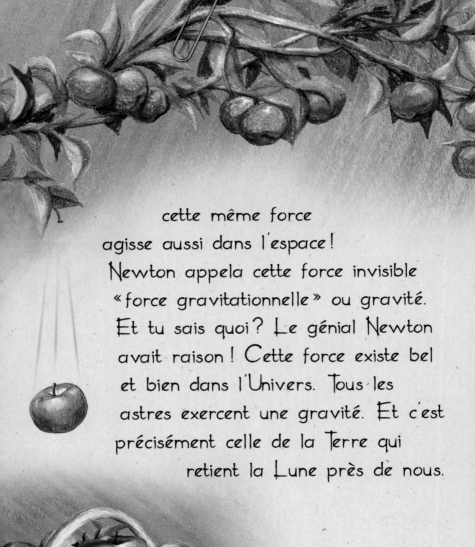

cette même force
agisse aussi dans l'espace!
Newton appela cette force invisible
« force gravitationnelle » ou gravité.
Et tu sais quoi? Le génial Newton
avait raison! Cette force existe bel
et bien dans l'Univers. Tous les
astres exercent une gravité. Et c'est
précisément celle de la Terre qui
retient la Lune près de nous.

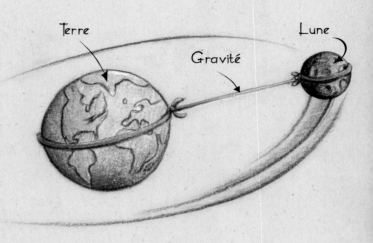

Terre

Gravité

Lune

Voici une petite expérience toute simple qui t'aidera à mieux comprendre comment agit la gravité. Attache une pomme à une ficelle de 1 mètre de long. Installe-toi dans un lieu où tu auras beaucoup d'espace et fais tourner la pomme autour de toi en tenant solidement la ficelle. Tout se passe exactement comme si tu étais la Terre, que la pomme était la Lune et que la ficelle était la gravité...

Lâche ensuite la ficelle.
Il se produira alors
exactement ce qui se
produirait s'il n'y avait pas
de gravité : la Lune partirait
à la dérive dans l'espace !

À bientôt,

Génius

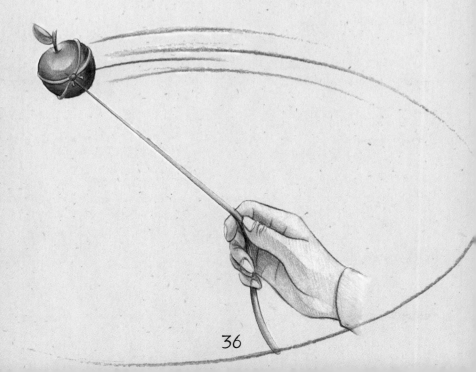

Chère Bwarna,

Les Américains Neil Armstrong et Edwin Aldrin sont les premiers humains à avoir posé les pieds sur la Lune. Il s'agissait de la mission Apollo 11, dont le module lunaire était surnommé Eagle. Voici d'ailleurs un article du journal « L'Actualité au quotidien », qui soulignait le 30ᵉ anniversaire de l'événement.

Cher Génius,

Qui est allé sur la Lune ?

Bwarna, 10 ans

Déjà 30 ans !

Il y a 30 ans aujourd'hui, les astronautes américains Neil Armstrong et Edwin Aldrin marchaient sur la Lune. Après cette nuit mémorable du 21 juillet 1969, cinq autres missions Apollo ont mis le cap sur notre satellite. En tout, une douzaine d'astronautes ont pris de nombreuses photos, procédé à diverses expériences scientifiques et ramassé près de 400 kg de roches lunaires. Ils ont laissé derrière eux quelques véhicules, un drapeau, des modules lunaires, des traces de pas et une balle de golf.

L'Actualité au quotidien, 21 juillet 1999

Neil Armstrong

Edwin Aldrin

Voici les 10 astronautes chanceux qui ont aussi marché sur la Lune. Je t'ai mis entre parenthèses la date de l'alunissage (atterrisage sur la Lune) et le nom du module lunaire.

- Alan Bean et Charles Conrad, mission Apollo 12 (19 novembre 1969, Intrepid)

- Alan Sheppard et Edgar Mitchell, mission Apollo 14 (5 février 1971, Antares)

- David Scott et James Irwin, mission Apollo 15 (30 juillet 1971, Falcon)

- John Young et Charles Duke, mission Apollo 16 (21 avril 1972, Orion)

- Eugene Cernan et Harrison Schmitt, mission Apollo 17 (11 décembre 1972, Challenger)

Personne n'est retourné sur la Lune depuis 1972. Et tu l'as peut-être remarqué, mais personne n'a pu marcher sur la Lune lors de la mission Apollo 13!

Les premiers mots de Neil Armstrong lorsqu'il a foulé le sol lunaire resteront célèbres à jamais :

« C'est un petit pas pour l'homme, un pas de géant pour l'humanité. »

Ton ami Génius

Est-ce qu'on pourra un jour voir l'autre côté de la Lune?

Lucas, 9 ans

Bravo, Lucas! Tu as remarqué que la Lune nous montre toujours la même face! Désolé cependant de te décevoir, mais la petite cachottière ne nous montrera jamais son autre côté... Sais-tu pourquoi? La raison est fort simple: la Lune tourne sur elle-même en 27,3 jours et prend exactement le même temps pour faire le tour de la Terre. La combinaison de ces deux mouvements dans le temps fait que nous voyons toujours le même côté de la Lune. Ce phénomène est un peu difficile à imaginer. Aussi, je te propose de réaliser l'expérience suivante. Elle t'aidera à mieux comprendre!

Procure-toi deux boules de polystyrène (elles peuvent être de grosseur égale). Marque une des boules d'un « X » puis insère le crayon comme sur le dessin ci-dessous. Cette boule te servira de Lune et le « X » sera sa face visible. Tiens maintenant l'autre balle devant toi. Cette autre balle jouera le rôle de la Terre. Avec ta « Lune », fais le tour de la Terre en t'assurant que le « X » reste face à celle-ci à tout instant.

Que remarques-tu? Pour que la face visible de la Lune reste tournée vers la Terre, il faut que tu lui fasses faire un tour complet sur elle-même (ton poignet a fait un tour!). C'est exactement ce qui se produit dans l'espace.

Pour voir la face cachée de la Lune de tes propres yeux, il te faudra patienter jusqu'au jour où des navettes transporteront des touristes curieux dans l'espace...

Ton ami Génius

Sur la page 42, je t'ai collé une photo de la face cachée de la Lune. C'est en 1959 qu'une sonde lunaire nous en envoya les premières photos.

Cher professeur,

Je demeure au Nouveau-Brunswick, près de la baie de Fundy. Ici, nous avons les plus grandes marées du monde. Voici des photos des rochers Hopewell à marée haute et à marée basse. C'est moi qui les ai prises. Je sais bien que les marées sont causées par la Lune (c'est ma grande sœur Sarah qui me l'a dit), mais je ne comprends toujours pas comment elle fait (la Lune, je veux dire).

Marie-Pier, 9 ans

Chère Marie-Pier,

Comme je l'expliquais à Mégane (à la page 34), tous les astres exercent une gravité, c'est-à-dire qu'ils attirent à eux les autres astres de l'espace. Cette force dépend, entre autres, de la distance qui les sépare. Plus les astres sont près, plus la force qui les attire est grande; plus ils sont loin, plus la force est faible.

La Lune est l'astre qui se trouve le plus près de nous. Sa force de gravité se fait sentir sur tous les objets de la Terre. Eh oui! Toi, moi, ton chat, ta maison... Nous sommes tous un peu attirés par la Lune lorsqu'elle passe au-dessus de nos têtes! Mais puisque la gravité de la Terre est beaucoup plus forte, nous ne sentons pratiquement pas celle

Rochers Hopewell à marée basse.

Rochers Hopewell à marée haute.

de la Lune! Ce n'est pas la même chose pour les océans... Tu vois, Marie-Pier, il est plus facile pour la gravité de la Lune de déplacer un océan liquide qu'une maison ou une montagne. Lorsque la Lune est au-dessus des océans, sa gravité attire l'eau vers elle.

Cela crée la marée haute. Environ six heures plus tard, lorsque la Terre a tourné sur elle-même d'un quart de tour et que la Lune ne fait plus face à l'océan, les eaux reprennent leur place. C'est la marée basse.

Une dernière chose, Marie-Pier. Lorsque la Terre, la Lune et le Soleil sont alignés, soit toutes les deux semaines environ, les forces de gravité de la Lune et du Soleil s'additionnent et «tirent» alors encore plus fort sur les

Lune

Marée haute

Terre

océans. Ces marées particulièrement hautes sont appelées «marées de vive-eau».

Je prévois m'arrêter quelques jours dans la baie de Fundy, l'été prochain. Je passerai vous dire bonjour, à toi et Sarah!

Ton ami Génius

Professeur Génius,

Mon petit frère Nicolas voudrait savoir où va la Lune pendant le jour?

Marie-Jeanne, 8 ans

Bonjour Marie-Jeanne,

Merci de m'envoyer cette excellente question de Nicolas. Voici ma réponse que tu pourras lui transmettre. La Lune est bien là, mais elle est si pâle que nous ne la voyons pas toujours. Pendant le jour, la lumière du Soleil est si aveuglante qu'elle nous cache tous les autres astres du ciel. La nuit, lorsque le Soleil est de l'autre côté de la Terre, ses rayons n'illuminent plus le ciel. C'est pourquoi nous pouvons enfin voir la Lune et les étoiles.

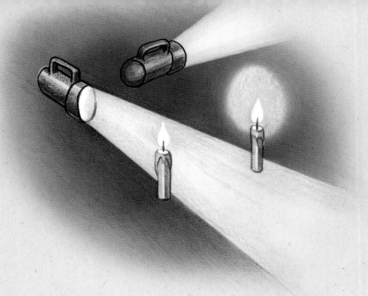

C'est un peu comme si tu prenais une grosse
lampe de poche et une toute petite bougie
d'anniversaire. Avec le faisceau de la lampe
de poche pointé directement vers tes yeux,
il te serait impossible de voir le peu de
lumière projeté par la bougie. Par contre,
si tu redirigeais la lampe de poche dans
une autre direction, la flamme de la
chandelle t'apparaîtrait alors beaucoup
plus clairement.

Malgré tout, on peut parfois apercevoir
la Lune pendant qu'il fait encore jour,

lorsque le Soleil vient tout juste de se lever ou un peu avant qu'il se couche.

P.S. Tu peux réaliser l'expérience à la maison pour ton petit frère, mais demande à un adulte de t'aider avec la bougie.

Génius

Bonjour professeur Génius!

Nous avons vu un documentaire-télé au sujet des missions Apollo. Une question nous trotte dans la tête. Pourquoi les astronautes bondissaient-ils en marchant sur la Lune?

La famille Lachance-Roy

Chère famille Lachance-Roy,

Vous souvenez-vous de la gravité, cette force invisible qui attire tous les objets les uns vers les autres? Sachez mes amis que plus un astre est gros (c'est-à-dire qu'il renferme beaucoup de matière), plus sa gravité est importante. Vous le savez sûrement : la Terre est plus grosse et contient beaucoup plus de matière que la Lune. La gravité exercée par notre planète est en fait SIX FOIS plus forte que celle de la Lune. (Cela signifie que la Terre « tire » six fois plus fort sur les objets qui se trouvent à sa surface.) Tous les objets sont donc six fois plus lourds sur la Terre que sur la Lune... ou six fois moins lourds sur la Lune que sur la Terre, si vous préférez. Un enfant de 6 ans pesant 25 kilos

aurait, sur la Lune, un poids équivalant à celui d'un bébé de 3 mois! Les humains et les animaux ont des muscles adaptés à la gravité terrestre. Leur puissance est en quelque sorte « calibrée » en fonction de cette force. Sur la Lune, là où il y a six fois moins de gravité, ces muscles deviennent carrément trop puissants! C'est pour cette raison que les astronautes pouvaient faire des pas de géants sans effort!

Génius

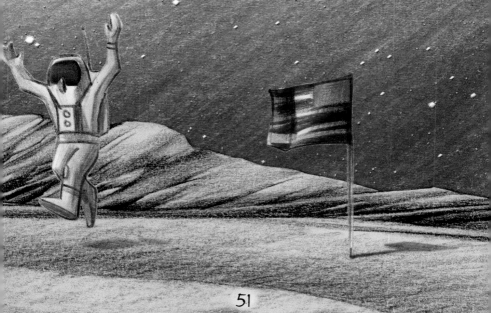

Cher professeur,
Est-ce qu'on sait à quoi ressemble le côté
de la Lune que l'on ne voit pas ?

Sydney, 10 ans

Cher Sydney,

Voilà une question d'un petit curieux!
Tu sembles savoir, Sydney, qu'il existe une
face de la Lune que l'on ne peut jamais voir.
Comme son nom l'indique, la face cachée de
la Lune n'est pas visible depuis la Terre.
Des sondes spatiales ont été envoyées dans
l'espace pour explorer et photographier
cet autre côté de la Lune. Grâce à elles,
nous savons maintenant que la face cachée
ressemble beaucoup à la face visible. On y
observe cependant moins de mers lunaires,
ces cratères remplis de lave qui apparaissent
plus sombres. Pourquoi? Eh bien tout
simplement parce que la croûte lunaire est
plus épaisse de ce côté. La lave traverse
moins facilement la croûte et n'arrive pas
jusqu'à la surface. Les cratères, en revanche,
sont beaucoup plus nombreux sur la face
cachée. Les astronomes ne peuvent pas
encore expliquer ce phénomène. Mais, comme

tu peux l'imaginer, ils ont
bien une idée derrière la tête
pour répondre à cette
question! Ils pensent
que les météorites sont
tombées plus souvent
sur ce côté caché de
la Lune parce qu'il est
face à l'espace et donc
plus exposé. À défaut
de pouvoir l'admirer,
tu peux imaginer la face
cachée de la Lune avec
des cratères, des cratères
et encore des cratères!

À bientôt,
Génius

Face visible

Face cachée

C'est en 1959
que la sonde russe
Luna 3 nous rapporta
les premières photos
de la face cachée de
la Lune.

De: Sharif
Sujet: La Lune
Date: 2 avril 2004
À: Professeur Génius

Monsieur le professeur,

Comment la Lune fait-elle pour changer de forme?

Sharif, 8 ans

Bonjour Sharif,

Je dois tout de suite te préciser une chose :
la Lune ne change pas de forme tous les
soirs. En réalité, c'est sa partie éclairée qui
change d'apparence ! Rappelle-toi, Sharif, que
la Lune brille parce qu'elle réfléchit la lumière
du Soleil. Puisqu'elle tourne autour de la
Terre, sa partie éclairée change tous les soirs.
Les différentes «formes» de la Lune dont tu
parles sont appelées les phases de la Lune.

En t'aidant de l'illustration,
suis ces phases pendant que
la Lune tourne autour de la
Terre.

Soleil

Lumière du Soleil

Nouvelle Lune

Observe bien :
Sur le cercle bleu, ce sont les
positions de la Lune par rapport
à la Terre et au Soleil et la
partie de la Lune éclairée par le
Soleil. Sur le cercle rouge, ce sont les
phases de la Lune telles que tu les vois
depuis la Terre.

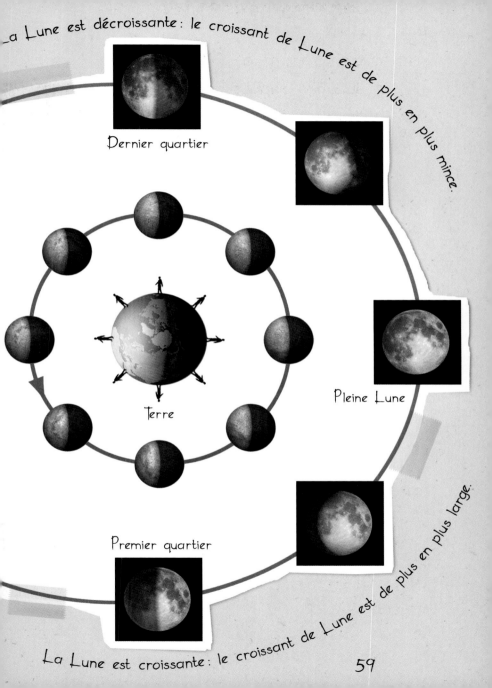

La Lune est décroissante : le croissant de Lune est de plus en plus mince.

Dernier quartier

Pleine Lune

Premier quartier

Terre

La Lune est croissante : le croissant de Lune est de plus en plus large.

La première phase est la nouvelle
Lune. La Lune se situe alors entre
toi (la Terre) et le Soleil. Elle n'est
pas visible parce que le Soleil éclaire
sa face cachée.

Au cours des 14 jours qui suivent,
la Lune poursuit son tour de la Terre
(suis bien le sens des flèches!). Tu
peux observer un croissant de plus
en plus large, puisque la partie exposée
au Soleil devient de plus en plus visible
depuis la Terre. On dit que la Lune
est croissante.

Puis vient la phase de la pleine Lune.
La face visible de la Lune est toute

éclairée par le Soleil. La Terre se trouve alors entre la Lune et le Soleil.

Pendant les 14 jours suivant la pleine Lune, la Lune continue son tour de la Terre. La partie éclairée, que l'on voit, diminue. Le croissant de Lune devient de plus en plus mince. On dit que la Lune est décroissante.

Et la Lune disparaît à nouveau. C'est ensuite un autre tour de la Terre qui commence!

Amicalement,

Génius

Monsieur le professeur,

Est-ce vrai qu'il se passe des choses étranges à la pleine Lune ?

Yoshi, 10 ans

Très cher Yoshi,

Il y a des milliers d'années, de nombreux peuples croyaient que la pleine Lune possédait des pouvoirs magiques. La légende du loup-garou est l'une des plus connues à ce sujet. Elle raconte qu'un homme se transforme les soirs de pleine Lune en un effroyable loup. Plusieurs scientifiques ont très sérieusement cherché à savoir si la Lune pouvait avoir de tels effets. Pour ce faire, ils ont étudié le comportement des humains, mais aussi celui des animaux et même des plantes, les soirs de pleine Lune.

Et tu sais quoi, Yoshi?
Leurs études prouvent que la
pleine Lune n'a aucun effet sur
ces comportements! Donc, ces
histoires de pouvoirs magiques
et de loup-garou ne sont bel et
bien que des légendes.

Ce que je sais, moi, c'est que les soirs de
pleine Lune, j'ai une incroyable envie de...
sortir mon télescope pour admirer notre
satellite dans toute sa splendeur!

À la prochaine pleine Lune, j'espère,

Génius

Professeur Génius,
pouvez-vous me dire
s'il y a de l'eau sur la Lune?
Brian, 10 ans

Bonjour Brian,

Pour l'instant, aucune trace
d'eau liquide n'a encore été trouvée sur la
Lune. Mais il semble toutefois qu'il y ait de
la glace! C'est en 1996, avec la sonde
lunaire Clementine, puis en 1998, avec la sonde
Lunar Prospector que la présence de glace a
été suspectée.

À présent, l'autre question que tu dois
certainement te poser est: «Comment est-elle
arrivée là?»

Selon les scientifiques, la glace serait arrivée
avec des comètes tombées sur la Lune, voilà
des milliards d'années. Une comète est un

petit astre
qui ressemble à
une boule de neige et
de roches mélangées. En
s'écrasant sur la Lune, la
neige contenue dans ces comètes
serait devenue de la vapeur d'eau
juste après l'impact. Plus tard, la vapeur
d'eau se serait refroidie et aurait gelé, plus
particulièrement au niveau des pôles. Au pôle Sud,
cette glace se situerait au fond des cratères qui
restent toujours très froids car ils ne sont jamais
exposés aux rayons du Soleil. Au pôle Nord, la
glace serait protégée par une couche de poussière

de roches de près de 40 cm d'épaisseur.
La mission Lunar Prospector semble indiquer
qu'environ 6 milliards de kilogrammes de
glace seraient mélangés au sol lunaire du
fond des cratères!

Bien à toi,
    Génius

En janvier 1994, la sonde américaine Clementine a relevé au radar des informations provenant du sol lunaire, suivie en 1998 par la sonde Lunar Prospector.

Lunar Prospector

Clementine

Bonjour monsieur Génius,

C'est quoi ces dessins qu'on aperçoit sur la Lune?

Danielle, 6 ans

Ma chère Danielle,

Je me souviens l'été où mon grand-père et moi sommes partis à l'aventure dans les Alpes suisses.
Nos randonnées duraient parfois des journées entières. Chaque nuit, nous nous amusions à regarder les taches de la face visible de

Paysage des Alpes suisses.

la Lune. J'imaginais alors un tyrannosaure, un visage souriant. Mon grand-père, pour sa part, voyait un bonhomme assis dans un arbre.

En réalité, ce que nous voyons, en admirant les taches de la Lune, est tout simplement le relief de sa surface. Les montagnes, les cratères et les plaines lunaires forment des taches pâles. Les mers, pour leur part, forment des taches foncées. C'est la combinaison de ces taches qui te fait voir ces dessins. Avec un peu d'imagination, on peut y voir plein de choses!

Et toi Danielle,
quelles formes
as-tu déjà vues?

De mon côté, il n'y a pas
à dire, j'y vois le plus souvent
mon tyrannosaure!

Ton ami, Génius

Est-ce que les roches lunaires
ressemblent à nos roches,
monsieur Génius?
Marilou, 9 ans

Bonjour Marilou,

Les roches lunaires sont de trois
types: le basalte (foncé),
l'anorthosite (pâle) et la brèche
(un mélange de plusieurs
roches). On retrouve ces
mêmes roches sur la Terre.
Toutefois, sur la Lune, elles
n'ont pas été usées par l'eau
de pluie ni les océans puisqu'il
n'y en a pas!

Comme je l'expliquais à Louis-
Philippe précédemment, la Lune
serait née après la collision d'un

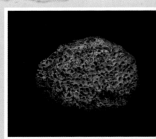

Basalte

Anorthosite

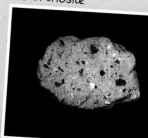

Brèche

très gros astéroïde avec la Terre. Les débris apparus alors se seraient regroupés pour former notre satellite. Tout ceci explique pourquoi la Lune est composée en partie des mêmes roches que la Terre. Mais ces roches ne sont pas exactement identiques parce qu'après sa formation, la Lune, comme la Terre, a connu sa propre histoire.

Ce que l'on trouve sur la Lune et qui n'existe pas sur la Terre, en revanche, c'est le régolite. Le régolite est une épaisse couche de poussière qui recouvre entièrement la surface de la Lune. Cette poussière a été produite par les nombreux impacts de météorites sur la Lune. Quand on observe le régolite avec un microscope, on y découvre de tout petits morceaux de roches lunaires. Cette poussière s'est accumulée sur plusieurs centimètres.

Empreinte de pas
de Neil Armstrong.

Regarde un peu l'empreinte que Neil Armstrong a laissée sur la Lune le 20 juillet 1969 dans cette épaisse couche. Elle est profonde de 2,5 cm !

J'espère, Marilou, que cette réponse te satisfait. N'hésite pas à m'envoyer d'autres questions !

À très bientôt, Génius

Monsieur Génius,
À l'école notre professeur nous a parlé des couches internes de la Terre et de son noyau. Est-ce qu'on sait ce qui se trouve à l'intérieur de la Lune ?
Quan-Yung, 9 ans

Bonjour Quan-Yung !

Décortiquons la Lune comme on le ferait avec un litchi, ce fruit chinois à la peau dure et rougeâtre.

La « croûte », tout d'abord, est la couche située le plus en surface. Elle a, en moyenne, près de 70 kilomètres d'épaisseur. Si on compare la Lune au litchi, la croûte correspond à la partie dure à l'extérieur du fruit. Les échantillons de roches lunaires rapportés sur Terre par les missions Apollo proviennent de la croûte.

Ensuite, la Lune est constituée d'un « manteau », une couche épaisse d'environ 1300 kilomètres. Le manteau est fait de roches qui étaient très chaudes dans le passé et qui se sont refroidies et solidifiées depuis. Le manteau correspond à la partie blanche et juteuse du litchi. Miam !

Enfin, la Lune aurait un noyau (comme le litchi !) de 800 kilomètres de diamètre. Les chercheurs pensent que le noyau de la Lune est composé de fer, mélangé à d'autres métaux.

On ne sait pas s'il est complètement solide ou s'il est liquide et solide à la fois.

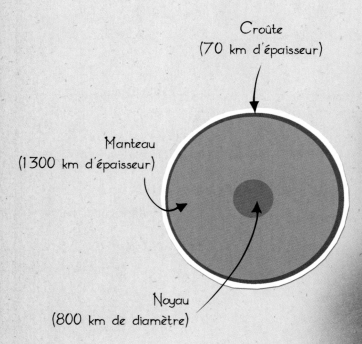

Croûte
(70 km d'épaisseur)

Manteau
(1300 km d'épaisseur)

Noyau
(800 km de diamètre)

À force de parler de litchis,
voilà que mon estomac gargouille.
Je cours dans ma cuisine!

À très bientôt,

Génius

Professeur Génius,
Pourquoi la Lune est-elle
pleine de trous ?

Bastien, 8 ans

Bonjour Bastien,

Imagine qu'il y a des milliards d'années, la Lune était toute lisse. Au fil des années, des météorites l'ont percutée de tous côtés. Chaque météorite a laissé sa trace : un gros cratère par-ci, un petit cratère par-là. Certains se sont remplis de lave alors que d'autres sont restés creux.

MES RECORDS DU SYSTÈME SOLAIRE

C'est sur la Lune qu'on retrouve les plus gros cratères du Système solaire. Le géant Aitken, situé au pôle Sud, est le plus grand d'entre tous avec ses 2250 km de diamètre et 12 km de profondeur.

75

Tu te demandes peut-être, Bastien, ce qu'est une météorite. C'est un morceau d'un corps céleste, qui vient de l'espace et qui tombe sur la Terre ou sur un autre astre, comme la Lune.

Si la météorite est suffisamment grosse, cela forme un cratère. Il y a plus de cratères sur la Lune que sur la Terre car la Lune n'a pas d'atmosphère pour la protéger. Lorsque des météorites pénètrent l'atmosphère terrestre, elles sont détruites à son contact et laissent seulement apparaître une traînée de poussière. Mais il arrive aussi que de très grosses météorites ne soient pas entièrement détruites et tombent à la surface de la Terre en formant un cratère !

À bientôt Bastien,

Génius

Monsieur Génius,
Est-ce qu'on pourrait vivre
sur la Lune?

Sabrina, 9 ans

Chère Sabrina,

Pour vivre, les humains ont besoin d'oxygène,
de nourriture, d'eau et d'une température ni
trop chaude ni trop froide. Malheureusement,
aucun de ces besoins ne peut être comblé
sur la Lune. Il nous est donc impossible d'y
vivre... enfin, pour l'instant!

77

Un jour viendra où les scientifiques et pourquoi pas, des touristes, pourront s'installer dans des bases lunaires transformées en petits villages. Mais ces villages lunaires seront certainement réservés en priorité aux scientifiques chargés d'explorer la Lune plus en détail et d'observer l'espace. Pourquoi? Eh bien, la Lune n'a pas d'atmosphère ni de pollution lumineuse due aux nombreuses lumières qui éclairent nos villes la nuit. Or sur Terre, cette atmosphère et cette pollution lumineuse nous empêchent justement de voir l'espace aussi nettement qu'on le souhaiterait. Ce serait donc beaucoup plus facile pour les astronomes d'étudier l'Univers depuis la Lune.

Sais-tu également que la gravité, cette force qui attire les objets vers le sol, y est six fois moins forte que sur la Terre? Cela demanderait moins d'énergie et donc moins de carburant pour le lancement des satellites,

des télescopes, des sondes d'exploration spatiale et même des navettes avec équipage. On pourrait ainsi aller sur Mars depuis la Lune!

Peut-être feras-tu partie des premiers promeneurs qui s'endormiront dans la base lunaire de l'avenir, sous les étoiles, et avec vue sur la Terre? Je te le souhaite de ton mon cœur!

Bien à toi,

Génius

Bonjour Heidi,

J'ai le poil qui se hérisse à l'idée d'un monde sans Lune car on peut imaginer que notre planète serait bien différente de ce qu'elle est aujourd'hui!

Bonjour professeur Génius!

Qu'est-ce qui se passerait s'il n'y avait plus de Lune?

Heidi, 10 ans

Sans Lune, il n'y aurait plus de marées aussi fortes qu'aujourd'hui et plusieurs animaux marins en souffriraient énormément : par exemple, les huîtres, les moules, mais aussi certaines algues. Et ce n'est pas tout! L'attraction qu'exerce la Lune sur la Terre permet de maintenir notre planète sur son axe d'inclinaison. Au fait, savais-tu, Heidi, que la Terre est légèrement penchée, un peu comme une toupie au repos?

Axe d'inclinaison

C'est cette petite inclinaison de la Terre
qui est en partie responsable des saisons.
Sans la Lune, la Terre serait ballottée
dans l'espace! Nous n'aurions
peut-être pas les mêmes saisons...
Et sans saison, ce serait le monde
à l'envers : les plantes ne
bourgeonneraient pas comme au
printemps chaque année, les animaux
ne feraient plus de migration, les lacs
gèleraient ou s'évaporeraient. Surtout
Heidi, la Lune a inspiré de nombreux
artistes : l'écrivain Jules Verne, avec son roman
« De la Terre à la Lune », le compositeur
Beethoven, avec sa sonate « Clair de Lune »,
le chanteur Charles Trenet avec sa chanson
« Le Soleil et la Lune »...

Demande à tes grands-parents de te la chanter!

À bientôt,
Professeur Génius

Monsieur Génius,

Mon professeur me dit parfois
que je suis dans la Lune. Mais
qu'est-ce que ça veut dire « être
dans la Lune » ?

Colette, 9 ans ·

Ma chère Colette, la Lune est présente dans
bon nombre d'expressions du langage de tous
les jours. Celle qui te concerne signifie être
distrait. Lorsque ton professeur t'interpelle
en te disant que tu es dans la Lune, c'est
que tu ne dois pas être tout à fait attentive
à ses explications ou que tu rêves. Est-ce
bien cela, même si tu n'oses peut-être pas
me l'avouer ? On retrouve le mot
lune dans d'autres expressions. Par exemple :
quand on dit de quelqu'un qu'il a

une face de Lune, cela signifie que son visage est tout rond, et quand ta maman te dit que tu veux décrocher la Lune, elle veut te dire que tu cherches à obtenir l'impossible.

Prenons une autre expression : si un jour, tu demandes à ton père de t'offrir 33 paires de patins à glace, il te répondra certainement « Mais, tu me demandes la Lune ! » pour te dire que tu lui demandes une chose qui n'est pas réalisable.

À très bientôt j'espère,

Ton ami,
Génius

Monsieur Génius,

Pour un projet d'école, j'aimerais faire semblant que je prépare mes bagages pour partir en voyage sur la Lune. Mon problème, c'est que je ne sais pas quoi mettre comme vêtements dans ma valise. Il fait chaud ou froid sur la Lune ?

Sonia, 10 ans

« Le secret d'un voyage réussi, c'est ce que l'on met dans sa valise », disait ma tante Sophie ! Et sache, Sonia, que j'ai pu vérifier cela lors d'un voyage dans le désert du Sahara avec mon grand-père. Je n'avais mis que des vêtements légers dans mes bagages, ce qui convenait parfaitement pour les journées chaudes. Mais les nuits sont froides dans le désert puisqu'il fait souvent 0°C. Et j'ai dû me réchauffer presque tous les soirs, en me blottissant contre les dromadaires!

Tu vois Sonia, la Lune est un peu comme le désert du Sahara mais en plus extrême, parce qu'elle ne possède pas d'atmosphère comme celle qui nous protège sur la Terre. Sur la Lune, il fait plus de 125°C le jour et

85

environ -150°C la nuit! Sans compter que
les jours et les nuits lunaires durent près de
deux semaines. Pour ton excursion sur la Lune,
je te suggère de mettre dans ta valise des
vêtements qui puissent ressembler à un
scaphandre spatial comme celui que portent
les astronautes lorsqu'ils sortent dans l'espace.
Le scaphandre spatial permet de rester
au frais lorsqu'il fait trop chaud et au chaud
lorsqu'il fait très froid. Il est aussi spécialement
conçu pour protéger les astronautes des
dangereuses radiations du Soleil et, chose bien
pratique dans l'espace, pour assurer
l'alimentation en oxygène.

Oh! à propos de tenue vestimentaire, j'ai
 entendu dire que le gris-cratère était très
    à la mode cette saison.

   Génius

Lorsqu'il sort dans l'espace, l'astronaute porte un scaphandre qui le protège de la chaleur, du froid et des petites météorites. La visière du casque est recouverte d'une très fine couche d'or qui protège ses yeux des dangereux rayons du Soleil.

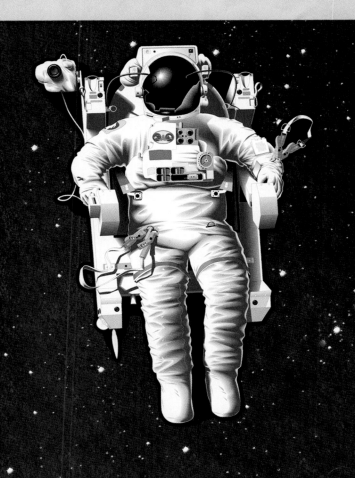

Cher professeur,
Si un jour on arrive à installer une base sur la Lune,
et si l'on trouve de la glace là-haut, est-ce qu'on
pourra la transformer en eau minérale?
   Louise, 10 ans

Chère Louise,

Ah! boire de l'« Eau de Lune »,
ce serait tellement... ressourçant!
Quel goût penses-tu qu'elle
aurait? Moi, je l'imagine claire
et pure, comme l'eau de nos
montagnes! Une fois qu'elle
sera propre, bien entendu, parce
que c'est en fait de la glace
mélangée à des roches et des
poussières qui semble se trouver
sur la Lune.

Cette glace pourrait donc, une
fois fondue et nettoyée, devenir de

Eau
de
Lune

88

l'eau bonne à boire. Il faut que je te précise une chose, Louise. L'eau, comme la glace, est composée d'oxygène et d'hydrogène. On pourrait séparer ces composants et utiliser l'oxygène pour respirer sans avoir à en transporter sur la Lune. Sur Terre, c'est, en effet, l'oxygène de l'air que tu utilises pour respirer. Et puis, ça n'est pas tout : l'hydrogène pourrait être utilisé comme carburant pour les fusées. On l'utilise déjà pour faire voler les fusées depuis la Terre, un peu comme l'essence que l'on met dans le réservoir d'une voiture pour qu'elle puisse rouler. Nous aurions donc ce qu'il faut pour boire, respirer et remplir les réservoirs des fusées. Et nous pourrions certainement nous éclairer pendant les longues nuits qui durent deux semaines sur la Lune! Des scientifiques ont montré également qu'on pouvait fabriquer des panneaux solaires avec la poussière qui recouvre la surface de la Lune, le régolite.

Les panneaux solaires captent la lumière du Soleil et la transforment ensuite en électricité. Ces panneaux seraient ainsi fabriqués directement sur la Lune et nous n'aurions pas à apporter de matériel pour produire l'électricité. Avec tout ça, ce serait certainement déjà un bon début!

À très bientôt j'espère,

Génius

Monsieur Génius,
Est-ce que vous pouvez me dire ce qu'ont fait les
astronautes quand ils sont allés sur la Lune?
Émile, 11 ans

Bonjour Émile,

Quelle que soit la mission, je me suis toujours imaginé, pour ma part, que les astronautes avaient dû prendre un peu de temps pour admirer notre planète bleue avec ses grandes traînées blanches que forment les nuages. Mais voyons tous les deux ce qu'ils ont fait pendant leurs missions. En juillet 1969, avec Apollo 11, Armstrong et Aldrin ont passé plus de deux heures sur la Lune pendant lesquelles ils ont récolté près de 20 kg de pierres lunaires et fait des expériences scientifiques. Avec Apollo 12, en novembre 1969, les astronautes ont prélevé environ 30 kg de roches lunaires et ils ont parcouru plus de 1 km! Et tu ne devineras jamais ce qu'ont fait les astronautes de la mission Apollo 14, en janvier 1971 : une partie de golf ! Tu vois Émile, les loisirs sont possibles, même sur la Lune ! Mais avant cela, ils n'ont pas oublié de ramasser 45 kg de cailloux. Ensuite, en 1971 et 1972, lors des missions Apollo 15, 16 et 17, les astronautes ont utilisé des véhicules tout terrain grâce auxquels ils ont parcouru de plus grandes distances : 25 km avec Apollo 15 et 16, et 36 km avec Apollo 17. Cette dernière mission a d'ailleurs ramené 110 kg de roches lunaires : un record ! Mais tous les astronautes d'une mission ne descendaient pas marcher sur la Lune. Un membre de l'équipage restait toujours à bord du module de

commande pendant
que les autres prenaient place
dans le module lunaire pour aller
explorer la Lune. Il était chargé
d'accueillir les astronautes à leur retour de
la Lune. Et toi, si tu allais un jour sur la
Lune, quelle serait ton activité favorite?
Une randonnée? Une partie de tennis?
Tu as le temps d'y réfléchir un peu avant
d'y aller!

À très bientôt,

Génius

Photo du véhicule
tout terrain sur le
sol lunaire lors de la
mission Apollo 17.

Index

●ABCDE●

Aldrin (Edwin) 37, 91

Armstrong (Neil) 37, 39, 72, 91

astronaute 15, 37, 38, 39, 87, 91, 92, 93

atmosphère 28, 76, 78, 85

bases lunaires 78

comètes 32, 64, 65

cratères 26, 32, 53, 66, 68, 75, 76

dernier quartier (de Lune) 59

eau 64, 65, 88, 89

éclipse de Lune (éclipse lunaire) 18, 19, 20

étoile 7

●FGHIJ●

face cachée (de la Lune) 43, 53, 54, 55, 60

face visible (de la Lune) 42, 53, 60

force gravitationnelle ou force de gravité (voir gravité)

glace 64, 65, 66, 88, 89

gravité 34, 35, 36, 44, 45, 46, 49, 50, 51, 78

●KLMNO●

Lune croissante 59, 60

Lune décroissante 59, 61

lunes (voir satellites « naturels »)

marée 44, 45, 46, 80

mers lunaires 29, 30, 31, 32, 53, 68

météorites 27, 32, 54, 71, 75, 76

missions Apollo 10, 37, 38, 39, 49, 91, 92, 93

modules lunaires (Eagle, Intrepid, Antares, Falcon, Orion, Challenger) 37, 38, 93

Newton (Sir Isaac) 33, 34

nouvelle Lune 59, 60

●PQRST●

phases de la Lune 57, 58, 59, 60, 61

planètes 24

pleine Lune 59, 60, 62, 63

premier quartier (de Lune) 59

régolite (poussière lunaire) 71, 89

roches lunaires (basalte, anorthosite, brèche) 17, 37, 70, 71

satellites « naturels » 24, 25

scaphandre spatial 86, 87

sondes spatiales (Clementine, Lunar Prospector, Luna 3) 43, 53, 55, 64, 66

télescopes 5

température (sur la Lune) 84, 85, 86, 87

Un très grand MERCI,

À Martine Podesto pour son enthousiasme, pour m'avoir poussé à répondre aux questions des enfants et pour ses précieux conseils éclairés par la pleine Lune.

À Mireille Messier et Cécile Poulou-Gallet pour les mots simples et justes qu'elles m'ont soufflés dans le creux de l'oreille.

À Marc Lalumière et Rielle Lévesque pour les leçons de dessin qu'ils m'ont données ; à Éric Millette, Josée Noiseux et Anne Tremblay, pour tous les conseils graphiques.

À Nathalie Fréchette pour l'organisation du travail, même les soirs où je préférais admirer la Lune ; à Gilles Vézina et Nathalie Gignac pour la recherche des photos ; à Émilie Corriveau, pour l'intégration de toutes mes données sur le sujet.

À mon ami Claude Frappier pour la révision linguistique de mes réponses ; à mon ami Robert Lamontagne, professeur astrophysicien à l'Université de Montréal, qui a relu et validé le contenu scientifique de mon carnet.

À Caroline Fortin, François Fortin et Jacques Fortin, pour leur appui et leur confiance dans ce projet.

Enfin, mille mercis à tous les enfants qui m'ont envoyé leurs questions sur la Lune. Je vous donne rendez-vous pour un prochain carnet.

N'hésitez pas à me faire parvenir vos questions sur d'autres sujets !

Professeur Génius

Crédits photos

p. 6 : European Southern Observatory / **p. 9** : Domaine public / **p. 17** : NASA /
p. 25 h : NASA **c** : JPL/NASA, **b** : JPL/NASA / **p. 29** : Alexey Sergeev / **p. 38 g et d** :
NASA / **p. 39 b** : NASA / **p. 45 h et b** : Ministère du Tourisme et des Parcs,
Nouveau-Brunswick / **p. 55 b** : NASA/NSSDC / **p. 67** : Christian Roux / **p. 70** : NASA /
p. 72 : NASA / **p. 93** : NASA

En l'absence d'indications complémentaires, les photographies sont situées comme suit :
h haut – **c** centre – **b** bas – **g** gauche – **d** droite